C'est bien,
c'est mal

© Éditions Nathan (Paris), 2010
ISBN : 978-2-09-252700-9
N° d'éditeur : 10178130

Oscar Brenifier
Jacques Després

C'est bien, c'est mal

On peut avoir du bien et du mal
des conceptions très différentes, et même opposées…

Certains pensent que le bien et le mal s'opposent,
que l'on peut clairement les distinguer.

D'autres croient qu'entre le bien et le mal,
les frontières sont assez floues,
et que le mal peut aisément prendre l'apparence du bien.

Certains pensent que le bien et le mal sont à peu près les mêmes partout, que tous les hommes s'accordent sur la même définition.

D'autres croient que le bien et le mal dépendent
beaucoup des cultures et des personnes,
à tel point que les comportements
des gens, parfois, nous surprennent
ou même nous choquent.

Certains pensent que le bien et le mal sont déterminés
par les lois qui règlent la vie en société,
et qu'il faut les respecter pour ne pas être puni.

D'autres croient que le bien et le mal sont une affaire personnelle,
qu'il faut décider les choses par soi-même,
sans trop se soucier de la punition éventuelle.

Certains pensent que l'on agit bien
parce que l'on aime voir les autres heureux,
ce qui nous rend heureux.

D'autres croient que l'on agit bien par calcul,
c'est-à-dire en espérant que les autres
nous rendront nos bonnes actions au centuple.

Certains pensent que le mal peut être nécessaire,
par exemple pour se défendre, punir de mauvaises actions ou les empêcher.

D'autres croient que le mal ne doit jamais être commis,
car il faut combattre le mal par le bien et en aucun cas par le mal.

Certains pensent que le bien et le mal sont
des principes utiles pour guider notre existence,
qu'ils nous permettent de vivre ensemble en harmonie.

D'autres croient que le bien et le mal nous compliquent inutilement la vie,
qu'il ne sert à rien d'être bon si les autres sont méchants.

Certains pensent que le bien
est naturel à l'homme
**et qu'il suffit de se laisser guider
par son sentiment**
le plus profond pour bien agir.

D'autres croient que pour bien agir,
il faut faire un effort
et ne pas écouter ses envies.

Certains pensent qu'il n'est pas grave
d'avoir de mauvaises pensées
tant que l'on ne passe pas à l'acte.

D'autres croient au contraire qu'il faut éviter
d'avoir de mauvaises pensées
car elles sont la cause de tout le mal.

Certains pensent qu'il ne faut pas trop se soucier du bien
et qu'il faut accepter le fait que nul n'est parfait.

D'autres croient que le bien est la chose la plus importante au monde,
un idéal qu'il faut sans cesse chercher à atteindre,
même si c'est difficile.

Certains pensent que le bien et le mal existent
dans la nature et qu'en avoir conscience est
ce qui nous distingue des animaux.

D'autres croient que le bien et le mal sont juste
des principes que des gens ont inventés
pour faciliter les relations entre les hommes,
des règles que l'on peut changer comme on veut.

Certains font confiance aux gens qui leur veulent du bien,
ils apprécient en général que l'on s'occupe d'eux
et qu'on leur donne des conseils.

D'autres ont tendance à se méfier des gens bien intentionnés,
qui croient savoir mieux que nous ce qui serait bon pour nous,
et veulent souvent imposer leurs idées.

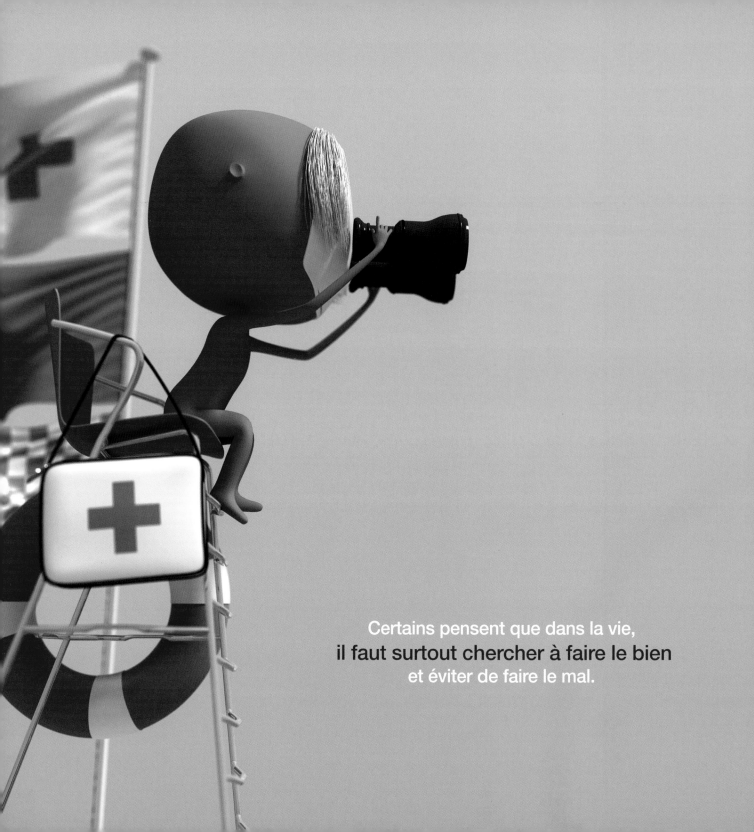

Certains pensent que dans la vie,
il faut surtout chercher à faire le bien
et éviter de faire le mal.

D'autres croient que pour mener sa vie,
la liberté, la vérité, le plaisir ou la sérénité
sont des guides tout aussi valables.

et toi ?

Oscar Brenifier. Docteur en philosophie et formateur, il a travaillé dans de nombreux pays
pour promouvoir les ateliers de philosophie pour les adultes et la pratique philosophique pour les enfants.
Il a déjà publié pour les adolescents la collection « L'apprenti-philosophe » (Nathan)
et l'ouvrage *Questions de logiques* (Le Seuil), pour les enfants la collection « PhiloZenfants » (Nathan),
traduite dans de nombreuses langues, et « Les petits albums de philosophie » (Autrement), ainsi que des manuels
pour enseignants, *Enseigner par le débat* (CRDP) et *La pratique de la philosophie à l'école primaire* (Sedrap).
Il est l'un des auteurs du rapport de l'Unesco sur la philosophie dans le monde : *La philosophie, une école de liberté.*
www.brenifier.com

Jacques Després. Jacques Després intègre les Beaux-Arts en 1985. Au début des années 1990,
il décide de se tourner vers un nouveau médium, encore balbutiant : l'imagerie virtuelle. Ce choix l'amène à travailler
dans des domaines aussi variés que le film documentaire, le jeu vidéo, l'architecture et la scénographie.
Aujourd'hui, Jacques Després est illustrateur et poursuit sa réflexion sur l'espace, le corps, la lumière
en explorant les rapports singuliers que les mots peuvent avoir avec les images.
www.jacquesdespres.eu

Le livre des grands contraires philosophiques, leur première collaboration,
a été récompensé par le *Prix de la presse des jeunes 2008,* le *Prix Jeunesse France Télévisions 2008*
et le prix *La Science se Livre 2009.* Il a été traduit dans dix-huit langues.

Édition : Jean-Christophe Fournier
Maquette : Lieve Louwagie

Conception éditoriale : Céline Charvet
Conception graphique : Jean-François Saada

Fabrication : Céline Premel-Cabic
Photogravure : Axiome
Achevé d'imprimer en France par Pollina en avril 2011. L57163.

Dépôt légal : mai 2011
En application de la loi n°49-956 du 16 juillet 1949
sur les publications destinées à la jeunesse.